OCT - - 2016

DATE DUE

OCT 27 2016	
	PRINTED IN U.S.A.

El cocodrilo junto a la roca

ISBN 0-7696-4239-X

For Charlotte and Samuel

School Specialty
Publishing

Biblioteca del Congreso. Catalogación de la información sobre la
publicación en poder del editor.

Para cualquier información dirigirse a:
School Specialty Publishing
8720 Orion Place
Columbus, OH 43240-2111

ISBN 0-7696-4239-X

1 2 3 4 5 6 7 8 9 10 EVN 10 09 08 07 06 05

El cocodrilo junto a la roca

de Hilary Robinson
ilustraciones de Mike Gordon

Columbus, Ohio

Un día, Leo fue…

...a pescar junto a la roca.

¡Vio algo que le pareció...

...que era el ojo de un cocodrilo!

—¡Hay un cocodrilo junto a la roca! —gritó Leo a un hombre.

El hombre hizo que su perro
bajara de su camioneta.

13

El perro miró.

Corrió hasta la roca.

Saltó en el agua.

Buscó al cocodrilo.

Miró y buscó.

Los niños corrieron a tomar…

...muchas fotos del cocodrilo del lago.

21

Entonces, todos gritaron.

Pues el perro les mostró que…

...¡El ojo del cocodrilo era sólo un balón!

Pero más tarde, ese día,…

…Leo en la roca se sentó.

Y en el agua encontró…

...¡un diente de cocodrilo!

Palabras que conozco

encontró	ese
un	fue
miró	entonces
vio	algo

¡Piénsalo!

1. ¿Qué resultó ser en realidad el ojo del cocodrilo
2. ¿Qué estaba haciendo Leo cuando vio el ojo del cocodrilo?
3. ¿Quién ayudó a Leo a encontrar el ojo del cocodrilo?
4. ¿Qué estaban haciendo los niños del cuento mientras el perro buscaba al cocodrilo?

El cuento y tú

1. ¿Te parece que hay un cocodrilo viviendo en ese lugar? ¿Por qué?
2. ¿Has encontrado alguna vez algo interesante como Leo? ¿Qué fue?

32